Para Sue, Joni y Wendy. —K. C.

Para mamá.

Del Hada de Azúcar. —M. I.

Puedes consultar nuestro catálogo en www.picarona.net

ZOMBILINA BAILA *EL CASCANUECES*
Texto: *Kristyn Crow*
Ilustraciones: *Molly Idle*

1.ª edición: noviembre de 2019

Título original: *Zombelina Dances* The Nutcracker

Traducción: *David Aliaga*
Maquetación: *Montse Martín*
Corrección: *Sara Moreno*

© 2015, Kristyn Crow & Molly Idle
Publicado por acuerdo con Bloomsbury Pub. Plc.
(Reservados todos los derechos)
© 2019, Ediciones Obelisco, S. L.
www.edicionesobelisco.com
(Reservados los derechos para la lengua española)

Edita: Picarona, sello infantil de Ediciones Obelisco, S. L.
Collita, 23-25. Pol. Ind. Molí de la Bastida
08191 Rubí - Barcelona
Tel. 93 309 85 25 - Fax 93 309 85 23
E-mail: picarona@picarona.net

ISBN: 978-84-9145-276-8
Depósito Legal: B-9.961-2019

Printed in China

Zombilina
baila El cascanueces

Texto:
Kristyn Crow

Ilustraciones:
Molly Idle

*Galardonada con la medalla
Caldecott de honor*

 Picarona

Me llamo Zombilina y estoy en una audición…
deseando que me den un papel en la función.
Estoy aquí por *El cascanueces*.
Espero que llegue mi turno. Sé que la competición
va a ser MORTAL con creces.

Espero que el Abuelo Fantasma me deje mi espacio,
ya que desde hace un siglo dispone de la ópera
como si fuese su palacio.
Mi abuelo es ilusionista, y yo adoro verle;
me encantan sus abracadabras,
pero hoy no debo distraerme.

Me llaman al escenario junto a Lizzie Nieve,
que es una de las bailarinas que mejor se mueve.
Ella aspira a representar a Clara... ¡el papel que yo anhelo!
¡Estoy tan emocionada que casi emprendo el vuelo!

Hago un *pas de bourrée* y un *jeté* en el aire.

Pero los *piqués* de Lizzie son absolutamente envidiables.
Los jueces guardan silencio. A Lizzie permanecen atentos…

...hasta que mi extensión EMBRUJADA
a todos les muestro.

Esperamos a conocer el reparto. ¡A mí me va a dar un infarto!
Lizzie está muy pálida, supongo que teme no ser válida.

¡A ver!
¿Yo?
¡El papel es mío! ¡Voy a ser Clara!
¡No me PUDRIRÉ en el coro, donde nadie te
ve la cara!

REPARTO

Clara — Zombilina
Príncipe — Riley
Rey Ratón — Liam
Hada del Azúcar — Kathryn

CORO

Lizzie	Garrett
Emily	Kyle
Anna	Tom
Meredith	John
mryn	Cheryl

Me sabe mal por Lizzie. De verdad que sí.

Ella se acerca y me dice: «Zombilina, me alegro mucho por ti».

Pero no puede contenerse y empieza a llorar.

La abrazo y le digo: «Tu momento llegará».

Ensayamos antes del estreno
y ella me dice «¡Lo haces de MIEDO!».

Durante los descansos compartimos algunos dulces y aperitivos.

Al fin llega el día del estreno, y mi estómago está revuelto.
Pero me visto de Clara y practico mis movimientos.

¡Hay muchísimo público! ¡No quedan asientos!
Y entonces… Un silencio de muerte. Mi corazón no late.
La platea se oscurece. El público está expectante.
Las notas de Tchaikovsky encandilan al respetable.

¡Los decorados y el vestuario
son una maravilla!

¡El árbol de Navidad
con gran refulgencia brilla!

Tomo el cascanueces
y lo sostengo sobre mi cabeza...

Relevé...   *Sauté...*

¡…y hago a Clara volar con ligereza!

Pero en la siguiente escena
aparece el malvado rey Ratón.
Se bate en duelo con el príncipe,
con su sable de latón.

En el momento preciso, desato mi zapato
para poder lanzárselo en un arrebato.

Pero, ¡oh!, menudo lío…
(Ya veréis que no me río).
Detrás de mi zapato, sale mi pie despedido.

Con mi pie de nuevo en su sitio, danzamos hacia el trineo,
con el que el príncipe y yo nos marcharemos muy lejos.

¡Espera! ¿Qué es esa sombra entre bambalinas?
¡Es el Abuelo Fantasma, que alguna broma maquina!

¡ZZZZZZAAAAAAAAPPPPP!

¡Si no detengo al abuelo, no dejará de molestar!
¡Este desastre lo tengo que arreglar!
Pero actúo en la siguiente escena…
¿Cómo lo haré si el abuelo no se frena?
Llamo a Lizzie, mi amiga,
y le pido que me siga.

Tengo una idea:

—¡Es *tu* gran momento! ¡Toma mi lugar como Clara en este cuento!

Pero Lizzie pregunta:

—¿Qué? ¡Si no me sé los pasos! —dice—. ¿Cómo lo haré?

Así que entro en trance para ver de qué forma lo podemos resolver.

—¡Yo te echo una mano… O una pierna! –le digo-.

Mis extremidades tienen vida propia interna,

así que recoge tus piernas, y deja que bailen las mías.

Como llevas un vestido largo de paño, nadie notará el engaño.

Lizzie no parece convencida, pero al final accede.

—¡Nunca había hecho algo tan raro! –se extraña, pero procede.

Voy entre bambalinas, enciendo los fusibles
y al abuelo le hago una oferta que le resulta irresistible:
¡jugaré con él al ahorcado! Es su juego favorito.
El espectáculo debe continuar a pesar de mi abuelito.

Entre bastidores, vuelvo a escuchar la orquesta.
Veo a Lizzie bailar, y me siento muy contenta.

Regreso al escenario cuando por fin ha caído el telón.
La enorme sonrisa de Lizzie
hace que todo sea mejor.

¡La función ha salido perfecta a pesar de mis temores!
¡Mis compañeros me vitorean y me siento de mil amores!

¡El público, de pie, aplaude! ¡Qué velada tan emocionante!
¡Os deseo a todos una feliz Navidad
y una noche espeluznante!